caillou
MD

Joyeuses Fêtes!

Adaptation du film : Marilyn Pleau-Murissi
Illustrations : CINAR Animation / Adaptation de Éric Sévigny / Coloration : Éric Lehouillier

chouette

COOKIE
JAR

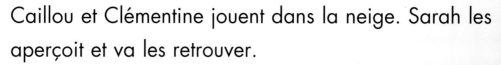

Caillou et Clémentine jouent dans la neige. Sarah les aperçoit et va les retrouver.

–Bonjour Caillou! Bonjour Clémentine! Allez-vous venir au spectacle de Noël de mon école?

–Youpi! Un spectacle de Noël! s'exclame Caillou. Est-ce que le Père Noël va arriver bientôt, Sarah?

–Très bientôt, répond Sarah. Il reste seulement deux semaines avant Noël.

En rentrant à la maison, Caillou voit maman affairée à
la table de la cuisine.

– Maman, qu'est-ce que tu fais?

– Je prépare des cartes de Noël pour envoyer à la
famille et aux amis. Aimerais-tu en préparer, toi aussi?

– Oui, répond Caillou.

Caillou est enchanté de cette idée. Pendant tout
l'après-midi, il s'applique à fabriquer ses cartes de Noël.

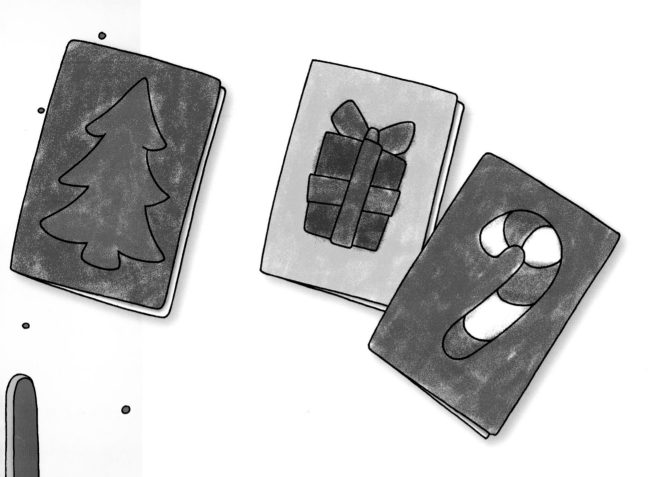

–Papa, regarde mes cartes de Noël, dit
Caillou. Est-ce que je pourrai les offrir demain ?
–D'habitude, Caillou, nous postons les cartes
de Noël, répond papa.
–Mais… il faut que mes amis les reçoivent
avant Noël, dit Caillou.
–Ne t'en fais pas, Caillou, ils vont les recevoir
à temps, assure papa.

12

–Regarde ce que j'ai trouvé, annonce papa
à Caillou. Ce calendrier amusant va t'aider
à compter combien de jours il reste avant Noël.
Il y a 12 petites fenêtres qui s'ouvrent et il reste
12 jours avant Noël. Chaque soir, nous allons
ouvrir une fenêtre et découvrir l'histoire qui se
cache derrière.

Caillou adore les histoires.

–Est-ce qu'on peut en ouvrir une tout de suite ? demande-t-il.

–Mais certainement ! répond papa en donnant le calendrier à Caillou.

Caillou ouvre doucement la première fenêtre.

–Un arbre de Noël ! s'exclame Caillou.

–Eh oui ! dit papa. C'est l'histoire du tout premier arbre de Noël.

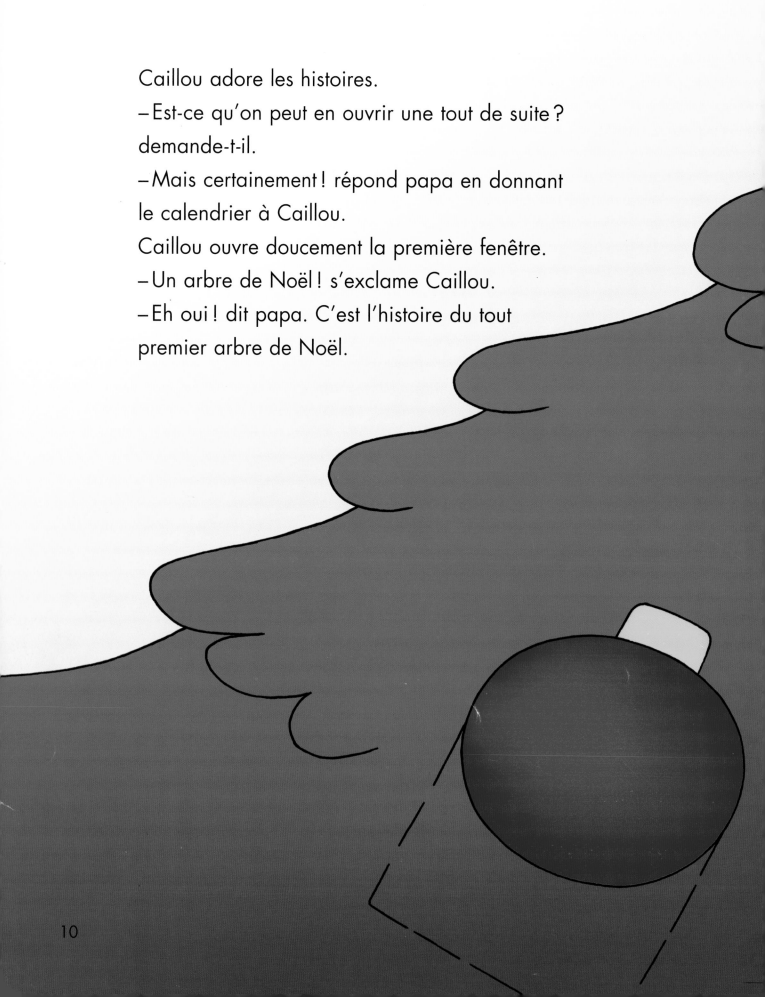

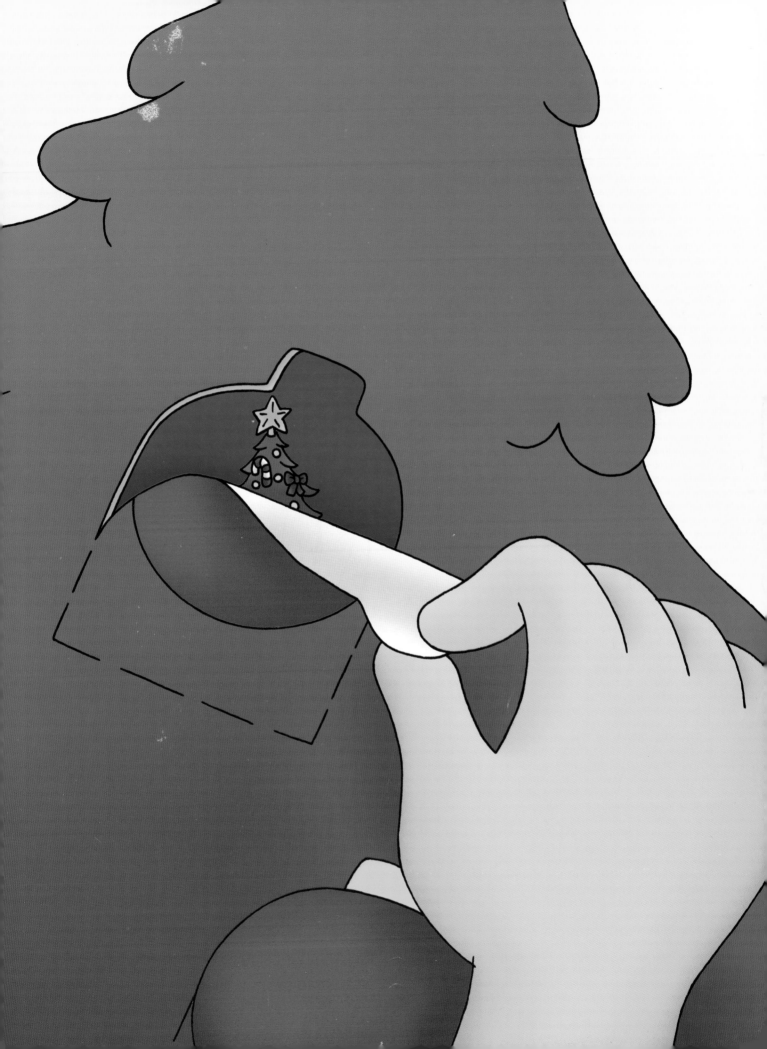

Il y a très longtemps, en Allemagne, vivait un garçon qui s'appelait Fritz. Son papa, qui était bûcheron, coupait des arbres qu'il vendait ensuite. Il lui arrivait d'emmener Fritz avec lui. Fritz avait remarqué qu'à la fin de la journée il restait toujours des petits arbres invendus au fond du traîneau.

Fritz adorait les arbres.
Un jour, il a décidé de ramener
chez lui un de ces petits arbres
délaissés. L'arbre était joli et
répandait une bonne odeur.
La maman de Fritz a eu l'idée
de le décorer afin qu'il soit
encore plus beau. Depuis ce
jour, partout dans le monde on
décore des arbres à Noël.

Le lendemain matin, le papa de Caillou annonce une
belle surprise. Tout le monde part en voiture à la ferme
de Jonas.

– Salut, Caillou ! Salut, Mousseline ! dit Jonas en les
voyant arriver. Nous allons faire une promenade en
traîneau dans les bois. Vous allez pouvoir choisir
vous-mêmes votre arbre, n'importe lequel.

– Une promenade en traîneau ! Une ferme d'arbres de
Noël ! Ouah ! s'écrie Caillou, ravi.

De retour à la maison, Caillou et sa famille installent leur arbre de Noël. Papa essaie d'éloigner Gilbert, qui veut jouer avec les lumières multicolores. Mais papa se retrouve tout entortillé dans la guirlande.

—Est-ce que quelqu'un aurait la gentillesse de venir m'aider? dit-il en riant.

Tout le monde s'amuse beaucoup. Enfin, les lumières et les décorations sont en place.

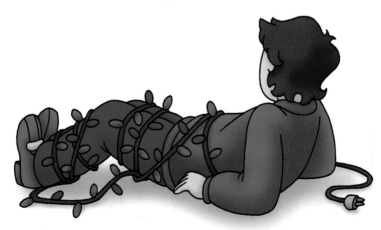

–Je peux mettre mon étoile, maintenant? demande Caillou.

–Mais bien sûr! répond papa.

Une fois l'étoile bien en place, papa allume les lumières du sapin. Tout le monde s'exclame en même temps: –Ouah!

Avec le sapin décoré et illuminé, ça ressemble vraiment à Noël dans la maison de Caillou.

—J'ai hâte de voir tous les cadeaux sous l'arbre de Noël, dit Caillou.

—Ça ne m'étonne pas, répond maman. Mais tu sais, Caillou, Noël c'est beaucoup plus que les cadeaux. Et des jouets, tu en as déjà beaucoup.

—Mais je ne joue pas avec tous! répond Caillou.

—Tu pourrais en donner quelques-uns, suggère maman. D'autres enfants pourront alors en profiter. Ces jouets feraient de beaux cadeaux de Noël.

11

–Combien de jours encore avant Noël,
Caillou? demande maman.
Caillou prend son calendrier et se met
à compter les petites fenêtres fermées :
1, 2, 3, 4, 5, 6, 7, 8, 9, 10, 11 !
–Et demain il n'en restera plus que 10,
ajoute maman.
Caillou ouvre une fenêtre du calendrier.

—Cette histoire se passe au Mexique, dit maman. Plusieurs jours avant Noël, les petits Mexicains font un défilé. Il y a un petit garçon habillé en Joseph et une petite fille habillée en Marie. Marie est assise sur un âne. Les enfants qui accompagnent Marie et Joseph sont déguisés en anges et en bergers.

Ils sont suivis de trois autres
enfants déguisés en Rois mages.
Au Mexique, les enfants parlent
espagnol. Pour se souhaiter
Joyeux Noël, ils disent
Feliz Navidad.
— *Feliz Navidad*, répète Caillou,
qui aime beaucoup apprendre
de nouveaux mots.

Le matin suivant, Caillou commence à déposer des jouets dans une boîte.

—Tu fais quoi? lui demande Mousseline.

—Je donne des jouets, répond Caillou. Comme ça, d'autres enfants vont pouvoir jouer avec.

—Grâce à toi, Caillou, des enfants seront très heureux, dit maman.

10

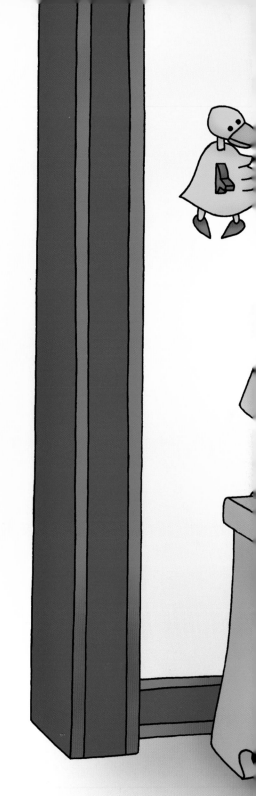

– Il paraît que tu t'es montré très
généreux aujourd'hui, Caillou, dit papa.
– Han-han, répond Caillou, fier de lui.
– C'est très bien ! complimente papa.
Es-tu prêt pour une autre histoire ?
Caillou compte les petites fenêtres :
– 1, 2, 3, 4, 5, 6, 7, 8, 9, 10 !
Caillou ouvre la fenêtre et regarde
l'image.
– On dirait une école, dit-il.

–C'en est une, répond papa. Il y a très longtemps, en Angleterre, des élèves devaient habiter à leur école, qui était située très loin de leur maison. Un jour qu'ils écrivaient des lettres à leurs familles, leur enseignant leur a demandé de les décorer spécialement pour Noël.

–Ils ont fait des cartes de Noël ! s'exclame Caillou.

–Exact ! Ils ont fabriqué les premières cartes de Noël.

–Est-ce que je peux aller poster mes cartes de Noël aujourd'hui ? demande Caillou.

–C'est une bonne idée, répond maman. Mais avant, ce serait bien que Mousseline et toi fassiez un dessin pour montrer au Père Noël le cadeau que vous aimeriez recevoir.

–Cheval, dit Mousseline, qui se met aussitôt à dessiner.

–Moi, j'aimerais bien avoir une station spatiale, dit Caillou.

Caillou est allé jouer chez Léo. Il bricole des cadeaux
de Noël pour Mousseline et ses parents pendant que
Léo fait de la peinture.

—Qu'est-ce que tu fais? demande Caillou.

—Je fais des cartes de Hanoukka pour mes parents,
répond Léo.

—Est-ce que la fête de Hanoukka est comme Noël?
demande Caillou.

—Non, nous célébrons la fête des Lumières, répond Léo.

La maman de Léo appelle les garçons. Elle leur a
préparé du chocolat chaud.
—J'adore le chocolat chaud! dit Caillou.
Caillou aperçoit un chandelier sur la table de la cuisine.
—Qu'est-ce que c'est?
—C'est la Ménora, répond Léo. Pendant la Hanoukka,
chaque soir nous allumons une nouvelle bougie. Cette
fête dure huit jours.

Encore huit jours avant Noël.

Caillou ouvre la fenêtre.

– Qui est ce monsieur ?
demande Caillou.

– Tu vas bientôt le savoir,
répond papa. Dans un très vieux
pays appelé Turquie, vivait il y a
très longtemps un homme qui
s'appelait Nicolas. Il était gentil
et généreux. Près de chez lui
vivait une famille très pauvre.
Ces gens n'avaient presque rien
à manger. Nicolas était triste de
les voir si malheureux.

–C'était la veille de Noël et Nicolas pensait à cette pauvre famille. Il décida d'aller déposer en secret à la porte de ses voisins un panier rempli de provisions. Nicolas continua pendant plusieurs années de leur offrir un présent à Noël. Les gens qui connaissaient cette belle histoire ont alors commencé à l'appeler Saint-Nicolas.

Dans la maison de Caillou, maman et
papa s'aperçoivent que certains objets ont disparu.
– As-tu vu ma brosse à dents électrique? demande papa à maman.
– Non, répond maman. Et toi, as-tu vu mes pantoufles?
C'est un vrai mystère.

En attendant que Noël arrive, Caillou passe ses journées
à jouer au hockey avec Léo, à glisser et à apprendre à
skier. Chaque soir, il compte les jours qui restent : 8, 7, 6.

Le calendrier de Caillou lui apprend que le Père Noël change de nom et d'apparence selon les pays.
Par exemple, en Russie, on l'appelle *Ded Maroz*, qui veut dire « Grand-père Hiver ».

Au Danemark, à Noël, *Julemanden* apporte des surprises.
Il aime se déguiser et jouer des tours.

En Grèce, les enfants attendent impatiemment l'arrivée
des *Killantzaroi*, les joyeux lutins.

Dans la maison de Caillou, on constate d'autres
mystérieuses disparitions à mesure que Noël approche.
Caillou cherche partout Rexie, son dinosaure.

– Caillou, que fais-tu ? demande maman.

– Je ne trouve plus Rexie, répond Caillou.

– Je suis certaine qu'il va finir par se montrer, dit
maman. Viens-t'en, nous devons nous préparer pour
assister au défilé du Père Noël !

Caillou et sa famille vont se joindre aux spectateurs rassemblés le long des trottoirs. Tout le monde attend que le défilé commence.
—Regarde, Mousseline! dit maman. Les majorettes arrivent!

– Les lutins du Père Noël ! s'exclame Caillou.

– Oh, et regarde bien ce qui s'en vient ! annonce papa.

Le Père Noël arrive! Il salue tous les gens sur les trottoirs.

– Ho ho ho! Joyeux Noël!

– Est-ce que le Père Noël va maintenant s'en retourner au pôle Nord? demande Caillou à papa.

–Pas tout de suite. Avant, il doit savoir si tu as été sage,
répond papa. Allons le retrouver.
–Youpi ! s'écrie Caillou. Viens Mousseline, nous allons
voir le Père Noël !

– Père Noël, dit Caillou, je ne trouve plus mon dinosaure, Rexie.

– Aimerais-tu que le Père Noël t'apporte un autre dinosaure ? demande le Père Noël.

– Non, il y a seulement un Rexie, répond Caillou, l'air triste. Peux-tu m'aider à le retrouver, Père Noël ?

– Si je trouve ton dinosaure, je te promets que je vais aller le déposer sous ton arbre de Noël, d'accord ?

C'est maintenant le soir et Caillou a hâte de découvrir une autre histoire.

– Un bas de Noël ! Il est comme le mien, dit Caillou.

– On dirait bien ! convient papa.

– Le Père Noël va le remplir de bonbons, c'est vrai papa ? demande Caillou.

– Je suis certain que c'est ce qu'il va faire, assure papa. Et nous allons laisser du lait et des biscuits pour le Père Noël. Sais-tu comment a débuté cette tradition ? Partout dans le monde, les enfants déposent quelque chose la nuit où passe le Père Noël.

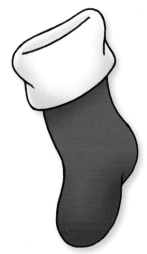

En France, les enfants déposent leurs chaussures près du foyer.

Et les petits Hollandais mettent de la paille et des carottes dans leurs souliers pour le cheval de *Sinterklauss*, le Père Noël.

En Hongrie, les enfants cirent leurs souliers et les déposent sur le bord d'une fenêtre.

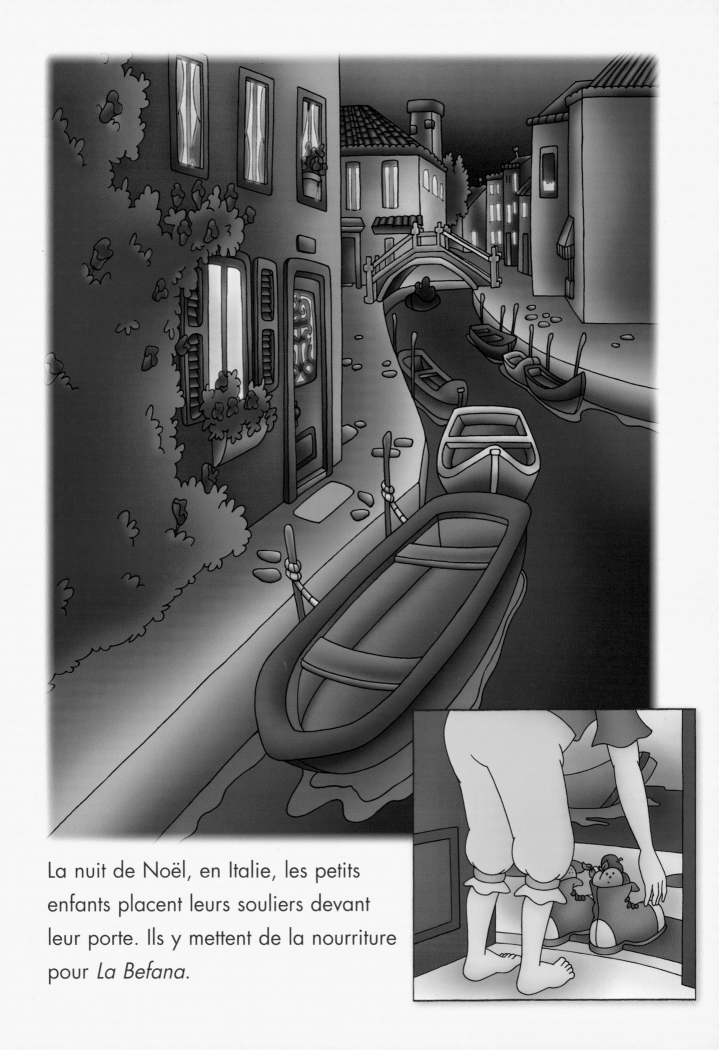

La nuit de Noël, en Italie, les petits enfants placent leurs souliers devant leur porte. Ils y mettent de la nourriture pour *La Befana*.

Et à Porto Rico, les enfants déposent des légumes sous leur lit pour les chameaux des trois Rois mages.

Le lendemain, grand-maman vient cuisiner
des biscuits avec Caillou et Mousseline.
Ils en font beaucoup pour pouvoir en
apporter aux amis de grand-maman.
En visite à la résidence, Caillou distribue
des biscuits à tout le monde.
— C'est moi qui les ai faits, dit Caillou.
Caillou aime bien aller rendre visite
aux amis de grand-maman. C'est comme
avoir beaucoup de grands-mamans
et de grands-papas.

C'est le jour du spectacle de Sarah. Les enfants font une
répétition générale.

—Caillou ! s'écrie Sarah en voyant arriver Caillou et sa famille.
Il nous manque quelqu'un. Voudrais-tu prendre sa place ?

Au début, Caillou se sent nerveux, mais il fait un
magnifique flocon de neige. Quand arrive son tour, il dit
bien fort :
– C'est Noël !

Caillou est très excité. Il ne reste plus
que deux fenêtres fermées.
–Demain, c'est la veille de Noël,
dit papa. Partout dans le monde,
des gens fêtent l'arrivée de Noël
en cuisinant des repas de fête.

Par exemple, à Noël
les Espagnols mangent
un poisson appelé
besugo.

En Norvège, on
sert du canard rôti.

Les Français servent
des huîtres et
une bûche de Noël.

En Autriche, les gens
mangent des crêpes
au fromage.

Et en Angleterre,
on savoure
le *plum pudding*.

Grand-maman et grand-papa sont arrivés et il commence à y avoir beaucoup d'activité dans la cuisine.

Pendant que grand-maman confectionne sa tarte aux pommes, grand-papa prépare la farce pour la dinde.

Il est bientôt temps d'aller s'habiller pour le repas.
– Pourquoi devons-nous mettre nos plus beaux vêtements aujourd'hui ? demande Caillou. Grand-maman et grand-papa nous rendent visite tout le temps.

–C'est parce que nous célébrons une fête et que le repas
de ce soir est très spécial, répond maman.

Caillou et sa famille s'assoient autour de la table pour
déguster les succulents mets traditionnels qu'ils ont préparés
tous ensemble.

Dehors, il fait nuit.

—Et si nous sortions admirer nos lumières de Noël?
propose grand-papa.

Tout le monde s'habille chaudement avant de sortir
dans la nuit froide.

—Êtes-vous prêts? demande grand-papa.

—Oui! répondent les autres en chœur.

Grand-papa allume les lumières, qui se mettent
aussitôt à scintiller de mille éclats dans la nuit, sous
les applaudissements des spectateurs émerveillés.

—Voici venu le moment d'ouvrir la dernière fenêtre de ton calendrier, dit papa à Caillou.

– C'est le Père Noël et ses rennes ! Le Père Noël s'en vient !
s'écrie Caillou. Je vais rester debout pour l'attendre.

– Le Père Noël ne viendra pas si tu ne dors pas, chuchote
papa. Fais de beaux rêves, Caillou.

–C'est Noël ! s'exclame Caillou le lendemain matin.
Mousseline apporte des cadeaux pour tout le monde.
–Cadeaux ! dit Mousseline.
Caillou, maman et papa déballent chacun
le cadeau de Mousseline.
–C'est Rexie ! s'écrie Caillou, surpris.
–Caillou aime beaucoup Rexie, répond Mousseline.
Papa regarde son cadeau, puis il regarde
maman.
–Eh bien ! dit-il. Tu n'as plus besoin de
chercher tes pantoufles…
–Oups ! dit maman en montrant
son cadeau à papa. Et voici ta
brosse à dents électrique !
Ils éclatent tous de rire.
–On dirait bien que Mousseline
vient d'inaugurer une nouvelle
tradition de Noël dans notre
maison, dit maman.

Joyeux Noël tout le monde !

Texte : adaptation par Marilyn Pleau-Murissi du scénario du film Caillou - Vive les Fêtes produit par Productions Cinar inc. (filiale de Divertissements Cookie Jar Inc.).
Tous droits réservés.
Scénario original : Peter Svateks
Illustrations : tirées du film et adaptées par Eric Sévigny
Coloration : Éric Lehouillier
Direction artistique : Monique Dupras

Catalogage avant publication de Bibliothèque et Archives nationales du Québec et Bibliothèque et Archives Canada

Pleau-Murissi, Marilyn
Caillou : joyeuses fêtes !
Traduction de : Caillou : happy holidays!
Pour enfants de 3 ans et plus.
Publ. en collab. avec : Divertissement Cookie Jar.

ISBN 978-2-89450-645-5

1. Noël - Ouvrages pour la jeunesse. I. Sévigny, Éric. II. Divertissement Cookie Jar inc. III. Titre. IV. Titre: Joyeuses fêtes!

GT4985.5.P5314 2007   j394.2663   C2007-941204-1

Dépôt légal : 2007

Nous reconnaissons l'aide financière du gouvernement du Canada (Programme d'aide au développement de l'industrie de l'édition (PADIÉ)) et du gouvernement du Québec (Programme de crédit d'impôt pour l'édition de livres (Gestion Sodec)) pour nos activités d'édition.

Imprimé en Chine
10 9 8 7 6 5 4 3 2 1